바나나
구매하기
클릭!
바나나
•노란색
•달콤함
•부드러움

나승현 글·그림
알로하아트(ALOHAART)에서 반려견 소랑이, 어린이들과 함께 미술 작업을 하고 있습니다.
쓰고 그린 책으로 《바닷가로 살금살금》이 있습니다.
Instagram@gaeso529

바나나 바나나
Banana Banana

1판 1쇄 | 2023년 2월 23일
1판 4쇄 | 2024년 4월 8일

글·그림 | 나승현

펴낸이 | 박현진
펴낸곳 | (주)풀과바람
주소 | 경기도 파주시 회동길 329(서패동, 파주출판도시)
전화 | 031) 955-9655~6
팩스 | 031) 955-9657
출판등록 | 2000년 4월 24일 제20-328호
블로그 | blog.naver.com/grassandwind
이메일 | grassandwind@hanmail.net

편집 | 이영란
디자인 | 박기준
마케팅 | 이승민

값 13,000원
ISBN 978-89-8389-110-5 77810

※잘못 만들어진 책은 구입처에서 바꾸어 드립니다.

바나나 바나나

글 · 그림 나승현

바우솔

딩동
택배 왔습니다.

네, 나가요!

받는 분
노랑 노랑
농장
헉!
!

구매자 토토님께
바나나를 구매해 주셔서
감사합니다.
농장에 몇 개 없는 커다란
바나나를 보냅니다.
커다란 바나나가 토토님께
커다란 행복을
가져다드리길 바랍니다.
바나나 판매자 드림.

왜 이렇게 커.
영차영차 응

이렇게 커다란 바나나로

뭘 하면 좋을까?

바나나가 커서 좋긴 한데 너무 크네.

바나나를 요리해서 맛있게 먹어 보자.

바나나구이
바나나푸딩
오,
그래. 좋아.

커다란
생크림
Jello
푸딩가루
안녕하세요?
오늘 커다란 바나나로
요리를 할 거예요.
냄비, 거품기
푸딩가루, 연유, 우유,
생크림, 밀가루,
달걀 과자
있나요? 모두 커다란
걸로요.
사탕

슈퍼
새콤달콤 과일
바삭바삭 과자
싱싱신선 생선
음매음매 우유
그럼 있고말고. 잠시만 기다리렴.
밀가루
밀가루

커다란 슈퍼
새콤달콤 과일
바삭바삭 과자
싱싱신선 생선
음매음매 우유
슈퍼
수박
메론

커다란 바나나로 요리하자!
영차 영차
우유
밀가루
푸딩가루
생크림

밀가루
우유

가루

바나나주스
만드는 법
바나나를 썰어서 믹서기에 넣고
우유도 조금 넣어 위이이잉 곱게 간다.
토토의 비법.
믹서기 버튼을 누르기 전에
"바나나야, 더 달콤해져라!"
외친다.
우유

"조심조심 천천히"

토토만의 소스 섞는 법
숟가락으로 저으면서
노래를 부른다. ♫♪

바나나 샐러드

만드는 법

1. 오이, 딸기, 키위, 바나나를 예쁘게 썰어 접시에 담는다.
2. 꿀과 레몬즙, 올리브유를 섞은 소스를 골고루 뿌린다.

푸딩가루
차가운 물
바나나푸딩
BANANA
recipe

바나나푸딩은 ... 아하, 이렇게 만들면 되겠구나.
달걀 과자
④
바나나 푸딩
만드는 법
1. 물과 연유, 푸딩가루를 섞어 차갑게 만든다.
2. 여기에 생크림과 달걀 과자를 섞어
푸딩 병에 담고 바나나로 장식하면 완성!
간단하네,
바나나푸딩!

1. 반죽
밀가루 한컵
설탕
소금 약간
달걀
버터
설탕
달걀 두 개
자른 바나나
바닐라빈
2. 파이 필링

바나나파이를
만들자!
만드는 법
1. 반죽
밀가루 한 컵+설탕 세 숟가락+소금 약간+버터 세 숟가락
+달걀 한 개
2. 파이 필링
버터 세 숟가락+설탕 세 숟가락+달걀 두 개
+으깬 바나나 두 조각+자른 바나나 조각들+바닐라빈 조금
단, 다시 한번 손을 깨끗하게 씻고서
조물조물 간질간질 손으로 바나나를
으깨도 됨.
오븐 팬에 반죽을 펼쳐 파이 필링을 담아
170도 오븐에서 40분 굽기.

0
10
20
30
40
50
60
70
80
90
100
110
0
50
70
90
110
130
150
170
190
210

CON VECTION
BAKE
DARK
MEDIUM
LIGHT
치지직
바나나 파이

바나나 푸딩
바나나파이

너무 많네?
잘됐다. 친구들을 불러야겠어!
파티를 하는 거야.

안녕? 나는 토토야.
커다란 바나나가 생겨서 요리를 했어.
바나나 요리를 먹으며 파티하려고 해.
널 초대할게. 오늘 저녁 6시까지
우리 집에 와 줄래?
그럼, 오늘 저녁에 만나.
안녕!
너의 친구 토토.

우리들공원
POST
염소네

토토의집
안녕?
거북아, 어서 와!
그래 안녕? 생쥐야.
엉금 엉금

안녕 친구들아!
모두 안녕?

오물오물!
너무 맛있어! 토토야, 초대해 줘서 고마워.
이렇게 맛있는 바나나파이는 처음이야!
우걱우걱!
정말 잘 구워졌어.
대단한 솜씨야!
으흠~ 맛있어!

바나나푸딩이 정말 달콤해!
냠냠 크게 퍼서 먹어야지.
달콤해 짹,
맛있어 짹짹!
냠 냠 냠
나도 너희가 와 주어서 좋아.
내가 한 요리들을 맛있게 먹어 줘서 고마워.

2023년 4월 23일 날씨 맑음

토토의 일기
오늘은 커다란 바나나로 맛있는 요리를 했다.
친구들을 초대해서 음식을 나누어 먹었다.
맛있게 먹는 친구들의 모습을 보니 참 행복했다.
다음에는 어떤 요리를 해 볼까?

딸기
구매하기
클릭!
딸기
•빨간색
•달콤함

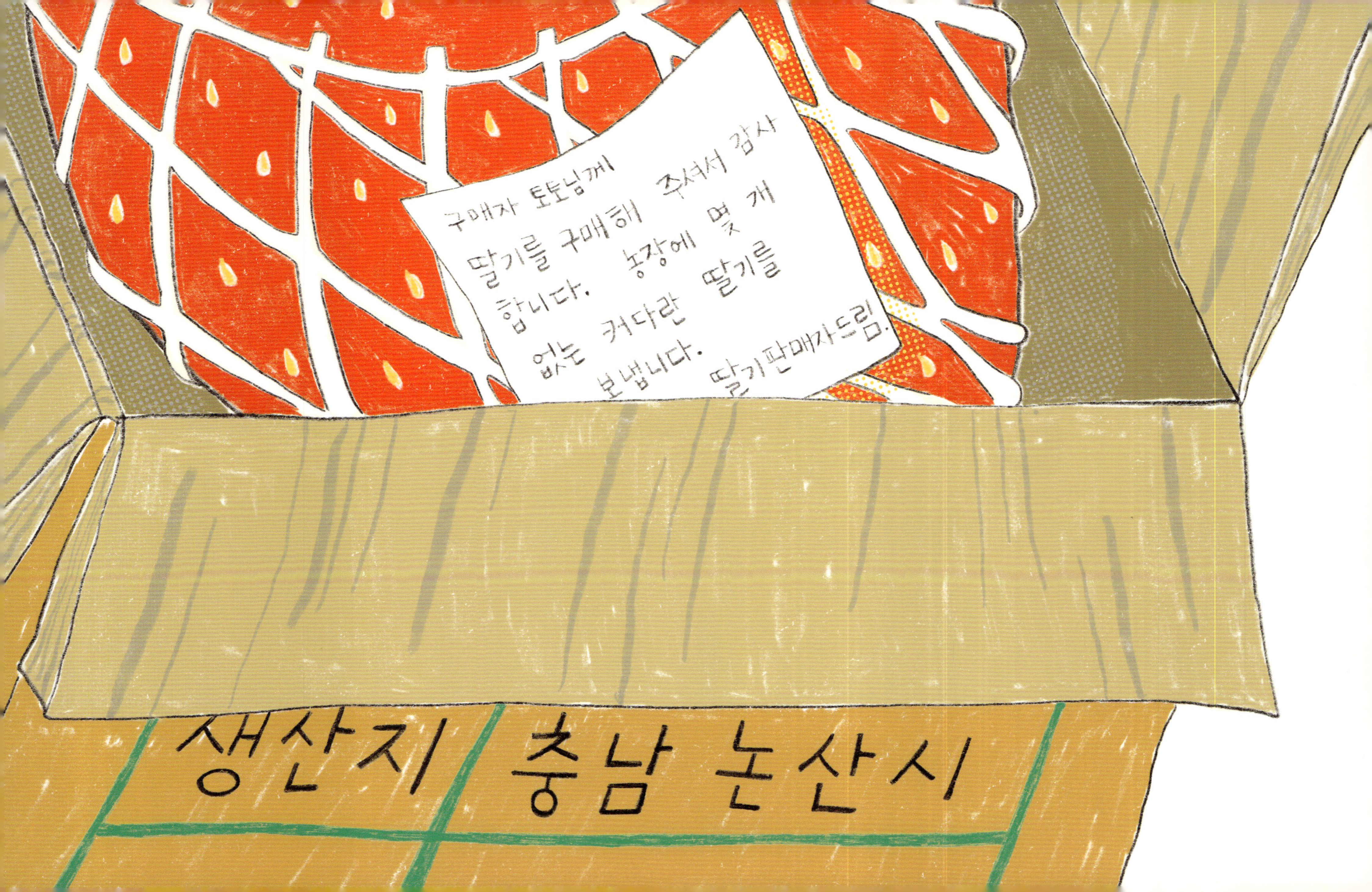
구매자 토토님께
딸기를 구매해 주셔서 감사
합니다. 농장에 몇 개
없는 커다란 딸기를
보냅니다. 딸기판매자드림.
생산지 충남 논산시